D1032807

Pour Eric

Carl & Claude

Loi N° 49 956 du 16 juillet 1949,
sur les publications destinées à la jeunesse:
septembre 2002.
Dépôt légal: septembre 2002

Mise en pages: *Architexte*, Bruxelles
Imprimé en Italie par *Grafiche AZ*, Vérone

Tu m'aimes ou tu m'aimes pas ?

Texte de Carl Norac
illustrations de Claude K. Dubois

PASTEL
l'école des loisirs

Lola vient d'avoir un petit frère.
Elle part le voir pour la première fois.
– Papa, on arrive ? C'est là ? crie Lola impatiente.

Dans le couloir de l’hôpital, Lola court.
– Attends-moi ! dit Papa.
Mais Lola ne l’écoute pas.

– Il est où mon frère ? Il est là ? crie Lola.
– C'est privé ici !
– Oh, excusez-moi !

– Il est où mon frère ? Il est là ? crie Lola.
– Mm… Mm… répond le monsieur.
– Oh, excusez-moi !

– Il est où mon frère ? Il est là ? crie Lola.
– Mais que faites-vous là ?
– Oh, excusez-moi !

– La petite Lola est attendue par son papa à l’accueil, dit une voix dans le haut-parleur. Lola arrive, gênée.
– Je te cherchais partout ! gronde Papa. Maman nous attend !

– Oh, qu'il est beau, mon frère ! Il me ressemble !
s'écrie Lola à peine entrée dans la chambre.

– Maman, je peux venir près de toi, moi aussi ?
demande Lola.
– Tu es trop grande, ma chérie ! répond Maman.

– Maman, je peux prendre Théo dans mes bras, comme toi ?
– Tu es trop petite, ma chérie !

Lola a l’air triste.
Alors, Maman soulève le bébé et le tend à Lola.
– Prends Théo tout doucement, mais reste près de moi…

– Coucou ! Moi, c’est Lola, ta sœur !
À quoi tu veux qu’on joue ?

– Ouin ! Ouin ! Ouin ! pleure Théo.
“On dirait qu’il ne m’aime pas”, pense Lola.

Pendant plusieurs jours, Lola attend.
Maman et Théo sont encore à l'hôpital.
– C'est quand qu'il arrive mon frère ? C'est quand ?
répète Lola toute la journée.

Un après-midi, Théo arrive enfin à la maison.
Lola lui apporte son plus beau jouet, Grand Loup.
– Tiens, c'est pour toi ! Un cadeau de Lola !

– Ouin ! Ouin ! Ouin ! pleure le bébé apeuré.
“Même mon jouet préféré, il n’en veut pas !”
se dit Lola qui ne comprend pas.

Le soir, Maman berce Théo. Il a l'air content.
Lola les regarde.
– Je peux essayer, moi aussi ?

– Coucou, Théo, c'est chouette, tu ne trouves pas ?
– Pas si fort, Lola ! dit Maman.
– Ouin ! Ouin ! Ouin !
"C'est sûr, il ne m'aime pas", pense Lola en partant vers sa chambre.

“Moi, il n’y a personne pour me bercer !” se plaint Lola.
Elle essaie de se bercer toute seule. Elle remue si fort…
qu’elle tombe du lit !

– À quoi tu joues, Lola ? demande Papa.
– Allons, ne sois pas triste, nous sommes là… sourit Maman.
– Alors, vous pensez encore un peu à moi, dit Lola rassurée.

Ce soir, Lola n'arrive pas à s'endormir.
Elle pense à Théo. Ce n'est pas rien d'avoir un frère
pour la première fois.

Soudain, Lola se lève. Elle sort de sa chambre et descend l'escalier. Ses parents sont devant la télé.
Sans se faire voir, à petits pas, Lola s'approche du berceau.

– Hé, Théo, tu dors ? C'est Lola… chuchote-t-elle.
Théo se réveille.
– Tout va bien, petit frère ?

Théo ne pleure pas. Il sourit, ferme les yeux et se rendort
en bougeant doucement la tête comme pour répondre oui.

Sur la pointe des pieds, Lola va se recoucher.
Elle prend son doudou et lui dit à l'oreille : – J'ai un secret.
Tu sais quoi ? Je crois que mon frère m'aime déjà.